D1455854

Nous remercions le Conseil des
Arts du Canada de l'aide accordée
à notre programme de publication
et la SODEC pour son appui
financier en vertu du Programme
d'aide aux entreprises du livre
et de l'édition spécialisée.

Nous reconnaissons l'aide financière
du gouvernement du Canada par
l'entremise du Programme d'aide
au développement de l'industrie
de l'édition (PADIÉ) pour nos
activités d'édition.

Infographie de la page couverture :
Cynthie Blanchette
Mise en pages : Bruno Ricca
Photo : Gervaise Arsenault
Correctrice : Micheline Dussault

Diffusion au Canada
Diffusion Dimedia inc.
539, boulevard Lebeau
Saint-Laurent (Québec)
H4N 1S2
© 2002 Line Arsenault
et les Éditions Les 400 coups
Montréal (Québec) Canada

Dépôt légal – 4ᵉ trimestre 2002
Bibliothèque nationale du Québec
Bibliothèque nationale du Canada

ISBN 2-89540-114-4

LINE ARSENAULT

La vie qu'on mène 5

On se faxe, on se digitalise, on se téléporte et on déjeune !

Je dédie ce livre à Thérèse, à Paulette et à Diane Gagné, mes lectrices fidèles, au paradis.

Merci à Guy Giguère, à Danielle Mathieu et à Raynald Saint-Hilaire pour leur appui, soutien, encouragement et confiance.
Merci à Coyote, à Pierre Verrault, à François Vézina et à René Vézina pour leur appui et leur écoute active.
Merci à Sylvie Marcil et à Marie-Andrée Viens pour leur enthousiasme et actions concrètes.
Merci à mes parents pour les travaux dans mon appartement,
à ma sœur Josée pour les petites attentions qui aident,
à Nadine pour la « peinture rose » qui colore notre amitié,
à ma cousine Penny pour son hospitalité.
Merci à Louise B. et à Danielle M., dont les appartements sont des musées de *La vie qu'on mène.*
Merci à Dominique, qui m'a montré qu'un ordinateur, ça ne mord pas.

Merci à tous ceux qui ont fait que j'ai pu participer au Festival d'Angoulême, en France, en janvier 2000.

Merci à Cynthie Blanchette, mon infographiste pour la couverture de l'album, pour avoir compris en langage infographique ce que j'exprimais en langage « humain »!

Merci au Conseil des Arts du Canada pour la bourse qu'il m'a accordée pour la création de ce cinquième album. Ce soutien donne les ailes qu'il faut pour travailler dans la paix nécessaire!

Car ce métier demeure une fantaisie aussi merveilleuse que vertigineuse.

L. A., septembre 2002

L'indien prétend que c'est la solitude qui compte
et que chacun doit l'affronter dans cette vie ou dans une autre.
Et que la liberté, on pourra en parler après.
Quand on sera tous assez grands pour ne faire de mal à personne.

Robert Lalonde, *Le dernier été des Indiens*

Bernard Clavel, dans une entrevue accordée en 1990 :

« Combien de temps mettez-vous pour écrire un roman?

– Vingt, trente ans. Il faut avoir l'idée, la mûrir, jeter des mots sur le papier, les oublier, les reprendre, écrire un premier jet, l'écarter, puis en écrire un autre, abandonner, reprendre, laisser dormir et tout recommencer.

– Alors, vous n'écrivez pas avec un ordinateur?

– Un ordinateur? Pourquoi faire?

– Quelle question! Pour aller plus vite!

– Aller plus vite? À quoi ça sert? »

« Je veux vivre, je n'ai rien contre la vitesse,
mais je sais que le temps et même la lenteur
sont porteurs de sagesse.

S'il faut, pour rester un être humain, refuser de se brancher
(sauf par nécessité), j'accepte cette situation en toute conscience
et je vous laisse le multimédia en vous souhaitant bien du bonheur. »

Jacques Godbout, « Le bonheur n'est pas dans le cyberspace »,
L'actualité, février 2000

Allô? André? Dis donc, j'ai fait un drôle de rêve. Je te raconte: je me trouvais à être le seul de toute la ville qui n'avait pas d'ordinateur!!

Ils avaient écrit un article sur moi dans le journal, comme un cas rare de résistant à l'informatique! T'imagines!

Ah, ouais!?

Les gens me montraient du doigt sur la rue, les journalistes venaient photographier mon appartement! C'était vraiment débile, vraiment la folie, démesuré quoi!

J'imagine, oui.

Complètement exagéré, tu vois? Et puis tout le monde se demandait comment je pouvais continuer à fonctionner normalement sans ordinateur!!

Mais pour vrai, t'en as un ordi, c'est ça?

Mais non! Comment? tu n'as réellement pas d'ordinateur?! C'est pas seulement dans ton rêve?!?

Mais non!

Quoi?! C'est si grave?!?

Mais oui, c'est grave! Écoute Jean-Claude, il faut que tu joignes les rangs! Tu dois être le seul de la ville qui n'en a pas encore!

T'es vraiment sincère là, André? Tu le penses vraiment?

9

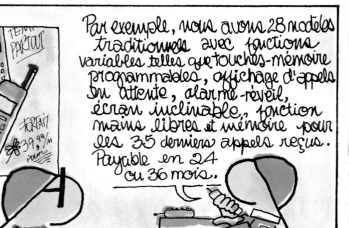

Hier? Eh bien j'étais à ma première séance sur l'estime de soi. Je me suis abonné pour 6 lundis.

C'est très intéressant! Tu vois, j'ai compris que je suis unique au monde et que si je n'étais pas là, ça ferait une différence sur la terre.

J'ai compris qu'on a des "limites" et non pas des "défauts". Qu'on doit être positifs et constructifs, et ne pas se dévaloriser. Il faut tenir compte de nos réussites personnelles...

S'accepter tel que l'on est. On doit aussi éviter de ruminer nos erreurs sans arrêt. Et se traiter soi-même comme si on était son meilleur ami!!

Il ne faut pas non plus essayer de plaire à tout le monde! Ça, c'est impossible! On doit par ailleurs être attentifs à nos propres désirs.

Wow! Seulement des bonnes nouvelles! Qu'est-ce que tu fais ce soir? Veux-tu aller prendre une bière?

Certainement! Mais avant, il faut que je trouve qui je suis, où je vais et quelle est ma mission sur terre.

Après, on sort!

15

16

Bonjour! Je voudrais acheter un four à micro-ondes!

Oui, à combien de BTU?

Je ne sais pas, monsieur. C'est la première fois que j'en achète un.

Quoi? On est en l'an 2003 et vous n'avez pas encore de four à micro-ondes!

Non mais, ça va quand même très bien, jusqu'ici. J'ai des amis, un bon travail, je fais du sport trois fois par semaine, je vais au cinéma le mardi. J'ai un four, un plat à fondue et je vais au restaurant à l'occasion. Je suis célibataire depuis 6 mois mais je ne suis pas découragé ou triste en général. J'ai un bon sens de l'humour, aussi.

Eh ben, elle est bonne! Les gars?! Notre client est à son premier four à micro-ondes! Tu parles! C'est pas sur des gens comme ça qu'on doit compter pour faire rouler nos affaires!

Je sais, monsieur, mais je n'en avais jamais ressenti la nécessité auparavant.

Et puis, qu'est-ce qui vous est arrivé?! Vous avez fait une thérapie!!

Eh ben! Première vente de la journée, à cinq minutes de la fermeture, et il faut que je me tape un client non initié aux micro-ondes!! Qu'est-ce qu'on ne nous fait pas faire!??!

Monsieur?! Monsieur?!?

LINE ©02. 2003

33

Même moi!

Un ordinateur dans ma maison!

On dirait que je suis dans un film de science-fiction !!

Et maintenant, c'est complètement ridicule de ne pas avoir le câble et Internet!

Et un micro-ondes, une brosse à dents électrique, la télé numérique! Il faudrait aussi que je me fasse épiler le torse! Que je choisi... une nouvelle eau de colog... Que je jette mes vieux ...isques de vinyle et ma collecti... ...sacs de plasti-que !!

Ça fait pas mal de changements auxquels s'adapter...

Mais c'est pas grave, car maintenant j'ai un ordi ! YOUPPI!!

Ah non! Ils travaillent encore à faire avancer le sexe virtuel!!

Et vive l'évolution! Mais quelle connerie! On s'éloigne de l'humain! On s'enfonce dans l'individualisme! L'espèce est menacée à coup sûr!!

Une machine, ça n'a pas de coeur! D'âme! De goûts! De raison! De désirs! De passions! De sensibilité! Ça ne dit pas:"Tu es beau, ce soir". "Aimes-tu mon nouveau parfum?"

Une machine aura toujours une intensité égale! Une énergie réglable! Une machine sera prête à recommencer sur demande, à l'heure souhaitée! Sans préambules , à la limite!!

Une machine ne dit jamais : "Non, pas maintenant, il faut qu'on parle, avant"!!

Plus de séduction, d'incertitude! De défi! Tout serait **acquis**!?! Prévisible!?! **Programmable**?!!

On aura **tout** ce qu'on veut, **autant** qu'on veut?! Sans conditions?! Ce sera catastrophique!!!

Quel sera alors le sens de la vie?

Oui? Allô Cynthia? Ici Laurent de la boîte 422. Tu vas bien? Tu as une très belle voix, en passant!

Écoute, j'avais pensé qu'on pourrait peut-être se voir ce soir... mais avant d'aller plus loin, je me dois de mettre les pendules à l'heure.

Et bien voici. Je ne m'appelle pas Laurent mais Raymond. Et je ne mesure pas 5 pieds et 8 pouces, mais 5 pieds et 5 pouces. J'ai dit que j'avais dans la mi-trentaine mais, en fait, j'aurai 40 ans dans 10 jours.

C'est vrai que j'aime voyager, mais j'ai peur de l'avion. J'aime tous les genres de films sauf les films français. Et j'ai dit que j'étais bronzé. C'était vrai il y a un mois, mais à chaque jour qui passe c'est de moins en moins vrai.

Voilà! Je me sens vraiment mieux maintenant! Et toi, "Cynthia", est-ce ton vrai nom? Et, entre nous, pèses-tu vraiment 112 livres? Cynthia?

Cynthia?

Et merde! Ça m'apprendra à être honnête!!

51

53

Allô?

Ah! Salut Jean-Louis! Oui, ça va! Et toi? Rien de spécial? Comment a été ta semaine?

Non, vas-y, j'ai tout mon temps. Non, je n'ai pas d'appels en attente. Dorénavant je ne parle qu'à une seule personne à la fois!

J'ai décidé de ne plus interrompre personne. Les gens rappelleront! Y a pas le feu, quand même!

Tu vois, j'avais l'impression de ne jamais parler à personne, de ne jamais être complètement disponible pour mes amis.

Je me suis aperçu que je me plaçais dans un constant état de non-disponibilité.

Je croyais être très efficace, mais j'y perdais en relations humaines.

Non, je te jure, c'est beaucoup mieux ainsi. Que veux-tu, faut évoluer!!

T'es chez toi ? Tu n'es pas allé à la conférence ?

Non, pas ce soir.

C'était sur quoi ?

C'était sur la peur de rester seul.

Et puis ?

Je ne voulais pas y aller tout seul.

Je trouvais ça pathétique.

Pour dire vrai, le sujet ne me concernait pas tellement. Je n'ai jamais eu peur de rester seul, finalement.

Je ne voulais pas me retrouver dans une foule de gens qui ont peur de rester seuls. Je trouvais cette idée insupportable.

En fait, je ne voulais pas que tout le monde croie que j'ai peur de rester seul, tu comprends ?

Oui, je comprends parfaitement. Tu as préféré rester seul chez toi, plutôt qu'aller seul à une conférence sur la solitude où les gens auraient pu penser que tu étais seul.

Exactement !